はじめに ～あたたかい場づくりを～

こんにちは。

本書を手にとっていただいてありがとうございます。

本書で言う「あたたかい場」とは、その集まりが終わったときに参加者が「今日、参加してよかった」「集まってよかった」「また集まりたい」と思えること、主催者が「この場を開いてよかった」と思える場のことです。人がそこに集い、[illegible]の言葉を聞き合い、やりとりする中で、なにかをして[illegible]内側から湧いてくる。そんな[illegible]

私た[illegible]ーは、コロナ禍の前から、それぞれ学校で、地域で、あるいは職場で、学びの場、遊びの場のありようを考えてきました。会議や研修と呼ばれる場だけではなく、たき火を囲んだり、路上で遊んだり、ワークショップを学校にもちこんだり、カブリモノをつくったり、これはどうか、あれはどうかとさまざまな試みを繰り返してきました。

集まること・集まり方に関心を寄せてきたのは、それが人の生きるエネルギーを引き出す最も基本的な方法だと実感してきたからです。なにか困難なことがあったら、まず集まる。そして互いの不安な気持ちを共有することからスタートする。それができたら、集まった人それぞれから湧き出る力を持ち寄って、問題に取り組むことができます。仮にすぐに問題を解決できなくても、ともに試行錯誤する仲間がそこに生まれています。

災害の現場をはじめ、地域福祉から人権にかかわる問題まで、さまざまな社会課題の解決への取り組みは、まず「集う」ことの模索からはじまります。

今日のさまざまな社会問題の背景には、生活様式の変化から生まれた孤立があります。ゆえに日常の中で、いわば「人の関係の三密」をつくることが、その予防であり、同時に解決を意味しています。例えば、子ども食堂。集まってみんなで一緒に食べることは関係づくりの最も基本的な方法です。私たちも同じ発想から16年にわたり「おとうさんのヤキイモタイムキャンペーン」を続けてきました。集まった人で遊び、食べる。「人は、家族を越えてともに食べることで、仲間になってきた」(京都大学前総長・山極壽一さん）といいます。あたたかい場とは、あたたかい食事をともにすることだと言っても過言ではありません。

コロナ禍は、そんな「人が生きるために必要な〝不要不急〟」を直撃しました。「家族以外の人と食事をともにしないこと」という感染症の専門家の言葉は、その意味でとてもとても重い言葉です。長期化で、人の心身の健康や育ちにとても大きな影響を及ぼすであろうことが予想され、心配です。

その一方で、私達は、新しいコミュニケーションの方法に出会いました。いわゆるオンライン（リモート／テレビ会議システム）です。2020年3月、私たちはこの新しい道具を使わざるを得なくなりました。

つながらない回線、あわない目線、読めない空気、見えない反応、余韻のない別れ……。慣れないその時間がおわると、そこはかとない疲労感が残りました。自分の言葉は受け止めてもらえたのだろうか……。

しばらくは道具に使われている感覚がつづきました（いまも!?)。それでも、なんとかこの新しい道具で何かできないかと再び試行錯誤を始めました。

2020年の最初の緊急事態宣言下、Zoomの基本的な使い方もおぼつかない中で、『ちくちくタイム（布マスクをオンラインでみんなで集まって縫ってみよう)』(38ページ)

を開催。その後も『カブリモノの研究会』(40ページ)、そして『アイスブレイク研究会(3回)』、『もちより音楽カフェ』(35ページ)など、さまざまなオンラインでの不要不急の活動を重ねてきました。本書はその実践の記録とそこからの学びの中間報告として作成した「ノート」です。

本書の作成にあたっては、特定非営利活動法人佐賀県放課後児童クラブ連絡会の石橋裕子さんに多くの示唆をいただきました。石橋さんには、『アイスブレイク研究会』の講師を2度に渡り務めていただき、オンラインで遊ぶことの楽しさ、場づくりのポイントを教えていただきました。ありがとうございました。また、前述の各イベントの参加者の皆様にも心から感謝いたします。皆様よりいただいたフィードバックから本書の中身はできています。

ありがとう

本書は、前半〈その1〉では、オンラインの場をあたためるためのポイントを記しています。つづく後半〈その2〉は、いわゆるアイスブレイクのアクティビティをご紹介します。リアルの場でおなじみのものも、少し工夫をするとオンラインでも楽しめるものになります。また、オンラインならではのアクティビティもあります。

本書が、読者の皆様の場づくりに、少しでもお役に立てることを願っています。

2021年5月

ハンズオン埼玉
アイスブレイク研究会チーム

承知
いたしました

研究報告 その1

オンラインの場づくりでだいじにしたいこと

あたたかい場は安心から

◉「あたたかい場」は、「安心」から生まれる

本書でいう「あたたかい場」とは、「人がそこに集い、互いの言葉を聞き合い、やりとりする中で、なにかをしてみようという気持ちが身体の内側から湧いてくる」そんな集まりのことです。

そんな理想的な場所はあるのだろうか、と思ってしまうのが、私達の日常かもしれません。「あたたかくない場（？）」にはよく出会います。

例えば、会議などの場面で……

・何が話されているのか、よくわからず、ついていけない
・わからないことを質問できない
・議論が早すぎてついていけない
・自分の意見を言うことが、歓迎されていない
・最初から結論がもう決まっていて、参加している意味がわからない
・参加者が無表情で、感情が読み取れない

そもそも、参加者は、「知らない人ばかりだったらどうしよう」、「わからなかったらどうしよう」、何かを言ってみて「まちがったらどうしよう」、「批判されたり、非難されたりしたらどうしよう」……などさまざまな不安を抱えて場に集まっています。その上、上記のような状態に置かれたら、自分の言葉がこの場に必要とされているとはとうてい思えず、会議は息苦しい沈黙の場となってしまいます。そして、もう二度と集まりたくないと思うものです。

そう考えると、逆に「また集まってもいいな」と思えるような場となるために必要なことは、参加者のこうしたさまざまな不安や疑問や「ヘルプ！」に応えて、必要な環境を整え、サポートすることではないでしょうか。一言でいえば、「ここなら自分の意見を話してもいいかな」、「ここなら自分のことを話してもいいかな」、と「感じられる」状態をつくることになります。

例えば、上下関係を過度に気にする必要がないこと、わからないことが

あったら聞いたり、確認したりできること、意見を言ったら受け止めてもらえること、少なくとも頭から否定されることはないと思えること……そんな、安心を感じられたら、人は思わず表現をしてしまうものです。「あたたかい場」の基本にあるのは、誰もが安心して参加できる場になっているかどうか、ではないでしょうか。

お気づきのとおり、ここまで書いたことは、コロナ禍があろうとなかろうと、オンラインでもオフライン（対面）でも、共通していることです。

◉「安心」は「応え」から生まれる

2020年3月、コロナ禍で、私たちは突然オンラインの世界に出会うことになりました。そして、とまどいながら一年を過ごしました。

オンラインで何がつらいですか？と聞くと、多くの人が口にするのは、「反応がわかりにくい」ことでした。例えば、「画面オフ」が標準となっている大学の授業などでは、100人以上の授業でも、真っ黒なモニターに向かって、一人しゃべり続けることに。「慣れたけど……やっぱりつらいですね」と疲れた顔でつぶやく先生たちにしばしば出会いました。

一方、私達はこの一年、さまざまな双方向のやりとりの工夫を重ねてきました。例えば、参加者に質問をし、Zoomのチャット欄にその回答を書き込んでもらうと、ツイッターのタイムラインが流れるように、どんどんとチャット欄に答えが並んでいきます。そこではじめて、「あ、聴いてくれている人が確かにいるんだ」と参加者の存在を感じることができ、ほっとしました。大学の授業でも、チャット欄を活用することで、それまでの対面の授業では出なかった質問がたくさん出るようにもなりました。自宅でリラックスできているから、顔が見えていないから、などの理由があるそうです。

あらためてこの一年をふりかえり、参加者が「安心」を感じられるためには何が必要だろうかと考えたとき、そのキーワードは、「応え」の有無ではない

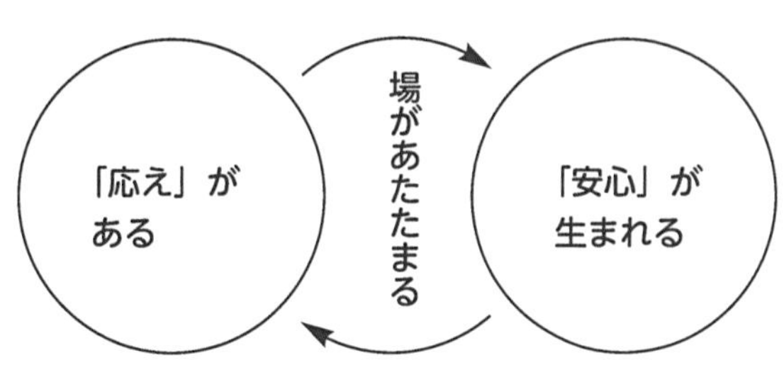

か、そう私たちは考えました。
誰かの「応え」が、「安心」を生みます。そして、「安心」を感じると、人は表現しはじめます。こうした、「安心」と「応え」の循環から、「あたたかい場」は、自ずと「生まれてくる」ものではないでしょうか。

◉チームで、コミュニティをつくる

オンラインの場づくりは、リアルより多くの人の協力が必要になります。人気ユーチューバーも、一人で番組をはつくっているわけではありません。進行役、技術役、サポート役など、さまざまな役割が必要です。分担し、コミュニケーションをとりながら、場をつくります。また参加者にも上手に働きかけ、反応をもらうことで、参加者とともに場をつくっていくことができます。物理的には同じ場にいなくても、「共に居る」という感覚は、主催者、参加者が互いに気遣い、丁寧にやりとりをすることで生まれてくるものです。その結果として、その場が学びの／遊びのコミュニティになっている。そんな時、「また参加してみたい」という気持ちもまた生まれているのではないでしょうか。

◉〝気持ちのマスク〟はなくてもOKに

そもそも日本人は、表情にとぼしい。いわばコロナ禍の前からマスクをつけていたようなものです。口をひらけば損だとばかりに、なるべく発言しない、表情にも出さない。人が集まる場ではごく一部の人が話して、残りの人は沈黙というのが当たり前になっていました。会社であっても、地域の活動であっても、長くいる人や立場の強い人が話し、新しい人、弱い立場の人はそこに口をはさま（め）ない、ということが当然であるかのようにふるまっています（「わきまえる」！）。そして最初からある（と思っている）正解を忖度することに神経を使っています。
あえて「せっかくのコロナ禍」ととらえ、これを機に、場のありようについてあらためて見直すことができないでしょうか。
「応え」すなわち「安心」のある場づくりを、むしろオンラインの場からはじめたい。身体は「ソーシャルディスタンス」だからこそ、心の距離は逆に縮めていきたいと思います。

そこで、以下、私たちのささやかな経験をもとに、オンラインで「あたたかい場」をつくるための工夫を、18 個のトピックにまとめてみました。いわば、「気持ちのマスクをはずしてもらう」ための小さな工夫です。

＊他にもたくさんあると思いますが、いったんみなさんと共有して、ご意見をいただきながら、今後修正、加筆、グレードアップをしていきたいと思います（本書は、ver.1 です！）。

OK！

Ⅰ 事前のやりとり

会は、お知らせからはじまります。当日にいたるまでのやりとりも含めて会です。オンラインの場合、それぞれ参加者のもっている環境（物理的な環境＋習熟度など）が違いますので、事前にコミュニケーションをとっておけると、参加者も安心で、トラブルも減ります。

あらかじめ推奨環境を伝えておく 1

オンラインへの参加は、パソコン、タブレット、スマホなどさまざまです。どんな活動をその会でするかによって、使い勝手もかわってきます。あらかじめ機種を限定する必要があれば、その旨を記して、参加の募集をかける必要があります。

「パソコンでの参加をお願いします」

「パソコン、タブレットでの参加を推奨します」

など

＊一画面で見ることができる人数は、「今日、ここに集まっている」という実感を持てるかどうかを左右する要素でもあります。

スマホ　　……4 人の場合が多い。

タブレット……4 人が限界の場合と、9 人の場合がある。

パソコン　……性能によって、25 人、49 人など違ってくる。

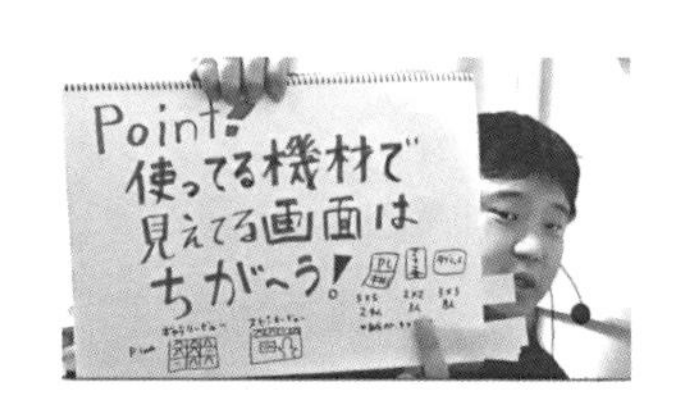

直前に、参加の方法などを連絡 2

オンラインのコミュニケーションは多くの場合、まず、そのオンラインの場にたどりつけるかどうかというところに一つハードルがあります。直前のリマインダー（思い出し告知）をすると、参加者にとっては大きな安心となります。

①催しの名前
②開始時間（入室開始時間）
③場所＝URL
④準備しておくもの
⑤推奨機種等
⑥接続できないなどのトラブルがあった際の連絡先
⑦そして「お待ちしています！！」の一言を前日などに送っておきます。

質問や接続等の不安な点など参加者が主催者にわかっておいてもらいたい情報があれば、事前にぜひ伝えておいてもらえるとよいでしょう。

接続の練習の機会を 3

不慣れな参加者が多い場合は、「○月○日に、接続の確認と練習する機会を設けます。まだ慣れていない、自信がないという方は、接続してみてください」などお伝えして練習の機会をもつとよいでしょう。不慣れな人が少ないときは、イベント開始前に練習の時間を設ける方法もあります。

開始時間のかなり前から開室 4

不慣れな方が多い場合は、会の開始時刻の 60 分前などから接続できるようにしておいて、接続できたら、つなぎっぱなしにしておいてもらうと、安心です。（Zoom の場合、現在は、いったんつないで、つなぎっぱなしのまま、待機室にいてもらうことも可能になっています）

II　当日のやりとり

いよいよ当日になりました。参加者は、ドキドキしながら、「オン」してきます。まずは、丁寧にお迎えできるといいですね。どんな集まりも一期一会。終わったときに、今日集まってよかったと思えるような時間を、参加者と一緒につくりましょう。大丈夫！

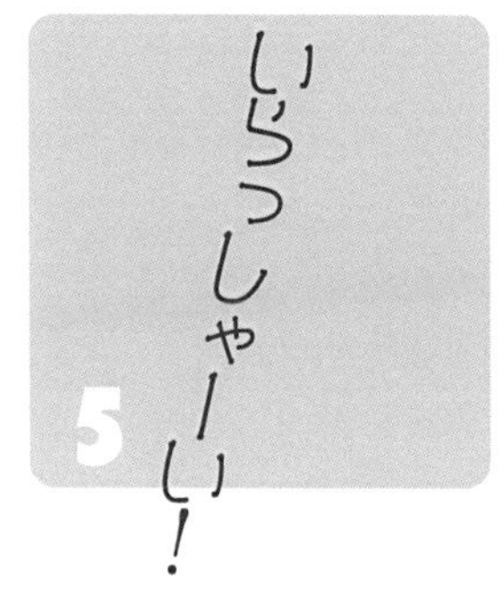

接続が完了した参加者へ、主催者から積極的に名前を呼んで声をかけるようにしましょう（「お迎え」の声掛け）。ドキドキしながら接続した参加者は、最初に主催者から声掛けがあるとほっとする方が多いようです（人数が多くなるとむずかしくなりますが）。「あなたが参加してくださったことをしっかり了解していますよ」というサインになります。

「○○さん、はじめまして。ご参加ありがとうございます。わからないところもたくさんあるかと思いますが、なんでも聞いてくださいね。よろしくおねがいいたします」「○○さん、こんにちは、ごぶさたしています。今日は頼りにしています。」「○○さん、はじめまして、○○（地名）からご参加なのですね。そちらの天気はいかがですか？」など。

手をふるなどのアクションをつけると、どの方も、笑顔になります。

6 まず笑顔で

うまく発言できなくても大丈夫、まとまっていなくても大丈夫、失敗しても大丈夫。そうした場の空気が生まれるかどうかは、主催者・進行者の表情や態度に左右されます。「集まって（もらって）うれしい！」という気持ちが、画面の向こうの参加者に伝わるといいですね。基本は笑顔で、表情は３割増しで臨みましょう。

人は、言葉の内容よりも、その言い方で気持ちを伝えています。何かを伝えようとするとき、その言葉の内容よりも?! 表情や声のトーンなどの非言語で伝わるメッセージのほうが、聞き手の感情に強く影響します。何があってもあわてず、まずはおだやかな態度と微笑みを。

7 はじまりの「ご案内」を丁寧に

みんなで心地良い時間をつくるために、参加の方法／質問や発言のルールを伝え、協力をよびかけると、安心して参加してもらうことができます。

慣れていない人も参加していることを前提に会をすすめていくこと、待ってもらうことやトラブルもあるかもしれないこと、進行に協力してほしいことなどを、会の最初に全体で共有しておくと、会の雰囲気も明るくなり、慣れていない人も安心できます。また、通信に不具合等が起こった場合でも、めげずにリトライしてもらうことを伝えておくとよいでしょう。

「待って」と言える雰囲気づくりが、一番大切です。

ご協力お願いします。

進行のルールの確認を 8

開始までの時間に、画面共有の約束ごとや、会の流れなどをあらかじめ示しておくこともできます。

伝えておくとよい項目は、例えば次のようなものです。

はじめにお願いです～

□画面の名前の書き方

□話すとき、聴く時の約束事

例：話すときは手をあげてくださいね。

例：「聴くときは、音声をミュートにしてください」あるいは逆に「音声はミュートにしないで、いつでも自由に話してください」など

□チャットなどの使い方のルール

例：「質問やご意見はチャットにお願いいたします」「話の途中でもどんどん書き込みをしてください」

□会の途中で使うものなどがあれば準備しておいてもらう

□通信トラブル、「落ちた」場合の相談先

＊主催者の方で多様な機種（パソコンとスマホなど）で接続しておくと、個々の状況を把握しやすくなります。

＊マイクのオンとオフ

（犬や赤ちゃんのなき声、家族の呼ぶ声、宅配便の方の呼び声など）まわりの音を拾ってしまう可能性もあるので、出来るだけ遮音された場所での実施をお願いしましょう。とはいえ、逆に周りの音が聞こえることで、場がなごむときもあります。自然なアイスブレイクになることも。

「質問発言いつでも歓迎です」

良好です

＊他にこんなアナウンス（お願いや注意事項）も必要に応じて確認しておくとよいでしょう。

○こちら（主催者）の声が聞こえますか。聞こえない場合は連絡してください。

○できる限り、ビデオをオンにしてご参加ください。

○チャット欄はいつでも使用できますので書き込みください

○許可がない限り撮影・録画はNGです。

○一端末につきおひとりの参加でお願いします。

○写真・録画について
スタッフが写真撮影を行います。報告や広報に使用します。お顔を出したくない方は、遠慮なくお知らせください。

○参加者による写真撮影、SNSへの掲載などについて
許可がない限り撮影・録画・SNSへの講座内容の投稿はNGです。

○アンケートについて
終了時に再度ご案内いたします。終了時にご記入ください。

アナウンス例（開始前の画面共有で）

・開会時間は10:00です。
・表示名「お名前+(所属)」の確認と変更をお願いします。
　例）「天野 春子（ハンズオン埼玉)」
※お名前が確認できた方は主催者側で変更させていただくことがあります。
・ご発言される時以外はマイクをミュートにしてください。
・チャット欄はいつでも使用できます。書き込みください。ご意見、ご質問などおまちしています。
・交流会で使用する①白紙（A5）数枚　②ペン　をお手元にご準備ください。
・何かお困りの際には下記までご連絡ください。
　080-××××-××××（××＝名前）

「名前」欄でひと工夫

9

「名前」欄も使い方を工夫することで、交流を深めたり、グループ分けなどの会の進行に使うことが可能です。

◉チャット欄を匿名やニックネームで

チャット欄のコメントは、誰が書いたかがわかるようになっています。

もし匿名で書いてもらうほうが書きやすかったり、誰が言ったのかよりも何を言っているのか（内容）のほうを重視したりする場合など、名前を隠したほうが創造性が生まれる場合は、名前欄を空欄にしてからの投稿も可能です。

◉一行自己紹介

好きな◯◯は？などお題を出して、答えを名前の横につづけて書いてもらいます。そして、自己紹介をしてもらった際に、その答えの理由を話してもらいます。

例：問い「好きな色は？」とお題をだして「西川正＊濃い緑」などと書いてもらい、好きな理由をはなしてもらいます。

◉グループ分け

好きな◯◯＋名前　でグループ分けもできます。

（67ページ「好きなおでんの具は？」参照）

例：

①アナウンスで、「好きなくだもの＋名前でお願いします」

②くだものごとに、ブレイクアウト（グループで対話）をします。「さて次はみかんチームさんお願いします」などと報告していただくと和みます。

●発言順決め　番号＋名前

発言の順番など、ゆずりあう場面がよくみられます。誰から話すかが決まっていると、進行の助けになることがあります。

例えば「数字+名前」に変更したのち「ブレイクアウトルーム（＊）に入ったら、番号の小さい方からお話ください」などとお願いします。

＊ブレイクアウトルーム：参加者を少人数のグループに分けてミーティングを行える Zoom の機能

例：ブレイクアウトルームの前に、「お好きな二桁の番号をつけてください」とか、「あなたのなにかの記念日（誕生日など）を四桁の数字でいれてください。1 月 1 日だったら 0101 です」などといれてもらい、番号順に話してもらう、など。

12 うさぎ　20 ねこ　30 らいおん
07 ぞう　08 さる　15 きつね
01 にわとり　09 きりん　56 ぱんだ

例：番号だけではなく色や大きさなど比較ができるものであれば楽しい順番ぎめに使うことができます。「好きな野菜を名前のうしろに書いてください」→「なるべく赤い野菜の方からお願いします」とか、「赤いものといえば？」→「その赤いものの小さいモノ順におはなしください」など。

操作の練習をアイスブレイクで　10

操作に不慣れな人にあわせて時間をつかっていると、熟練者の方は手持ち無沙汰気味。さらに不慣れな人は、待たせていることに気をつかうということにもなりがちです。そこで、アイスブレイクをしながら、チャットなどの機能をつかってみると、不慣れな人も慣れている人も楽しい時間が過ごせます。本書後半でご紹介するアイスブレイクをおつかいください。ぜひ「最初は、うまくいかなくて当たり前」と声をかけながらすすめてみてください。（47 ページ「トライ安堵エラー」参照）

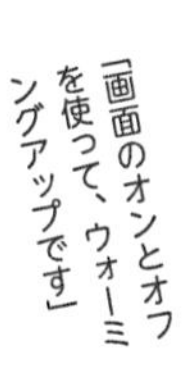

「画面のオンとオフを使って、ウォーミングアップです」

アイスブレイクでゆるっと 11

本書第二部の「オンラインでつかえるアイスブレイク」をぜひご活用ください。気持ちをほぐす、機器に慣れる、集中力を上げる、チームになる、グループ分けをする……さまざまな機能を持っています。肩に力が入っていては、パフォーマンスは下がってしまいます。

発言をサポートする 12

リアルの場でも同じことですが、とくにオンラインの場合、参加者は「自分が今、口をはさんでよいのだろうか」と発言のタイミングに迷います。進行役の人が話題にあわせて「この点については、ぜひ○○さんにご意見をうかがわせてください」「○○さん、いままでお聞きになっていていかがですか、気になることはありますか？」などと発言を促してあげると、案外話してくれるものです。

確認の声掛けをこまめに 13

参加者が進行をとめたり、質問したりするのは勇気がいります。主催者から「大丈夫ですか？」「わからなかったらいつでも声をかけてくださいね」などの言葉をときどきはさんでいくと、参加者がヘルプを出しやすくなります。

こまめに休憩を 14

オンラインは、ずっと同じ姿勢になりがちです。こまめ（60 分〜90 分ごと）に休憩をいれるように心がけましょう。ワークなどをするとき、次の活動の準備をかねてなど、流れの中にいれることも OK ですし、長時間の場合は少し長めに（15 分以上）とって席を離れるようにするなど、工夫するとよいです。

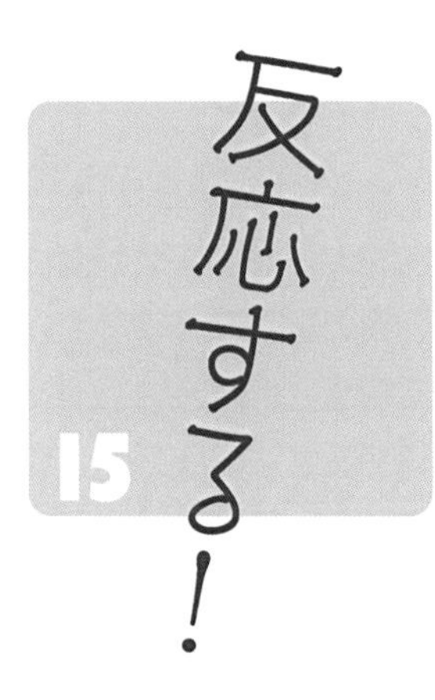

15 反応する!

オンラインでの会話は対面時と異なり、視線が合いにくい、反応が分かりにくい、タイムラグが発生してしまう等という特徴があります。音声のON・OFF、カメラのON・OFF機能も相まって、聞き手の状況が対面に比べて感じにくくなります。

一方、安心を感じるための一番の方法は、「応え」があることです。

「応え」のための8の提案を以下に記します。

◉身振り手振りで反応する

・「こんにちは」、「さようなら」は顔の横で手をふる。
・手をつかって、では次に○○さん「どうぞ！」とすると、渡されるほうもとてもうれしいし、まわりの参加者もなごみます。
・拍手は、手話の拍手である手のひらをひらひらさせる。

などなど「手を画面にうつす」とgood!。

3割増

通常

◉「リアクション３割増」をお願いしておく

会の冒頭で、「大きく頷く」「いつも以上のスマイルをする」「困った表情をする」など、大げさに思える位のリアクションやジェスチャーをお願いします。「いつもより３割増しの反応でお願いします」とお願いしておくとよいです。(とはいっても、普段やりなれていないことはすぐ忘れてしまうので、ときどき、「お忘れかと思いますがみなさんよろしくお願いしますね^^」と伝えると、場がなごみます)

◉最初にうなずく練習をする

「さあみんなでうなずきの練習をしましょう」と呼びかけます。画面の全員がうんうんとうなずく画像は、それ自体が可笑しいもので、自然に笑顔になり、よいアイスブレイクとなります。

◉「うなずき担当」を決める

明確にうなずいてくれると、話し手は例外なくとてつもなく勇気づけられます。担当を置くと効果は絶大です。また、チャットへの書き込みがあったら、その書き込みに「反応」して書き込むと、さらなる書き込みを呼び込みます。

◉「反応」のボタン機能をつかう

拍手やグッドマークなど「反応ボタン」機能をつかうと、簡単かつ全員が同時に意思表示することができます。画面がオフの方の意思表示も可能です。

◉「投票」のサイン機能をつかう

「投票」機能をつかうと、参加者から簡単にアンケートを取ることができます。回答結果は、参加者全員に周知することができるので、場の思いや考えを共有するのに便利です。

◉チャットを使う

オンラインの持つ大きな特徴は、複数のメディアを同時に使うことができる点です。その一番ポピュラーな方法が、画面で表情を見、耳で音を聞きながら、チャットに書き込むことです。進行をさえぎることなく、ちょっとしたつぶやきを書き込む。

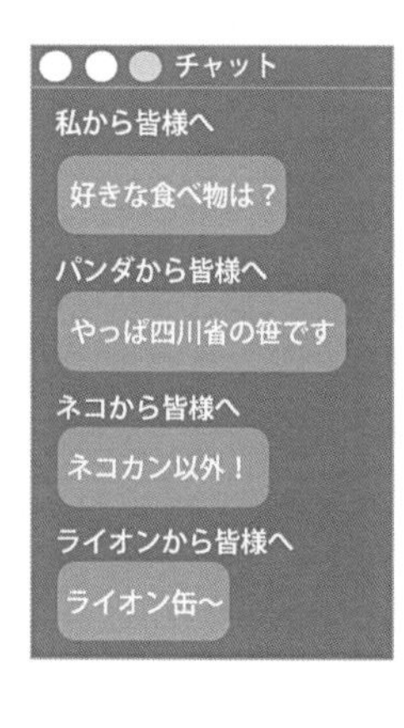

講師の話に共感したり、あるいは、こんな視点もあるのではと提案したり、「なるほど～！！」といった反応が同時進行で流れてくるのは、リアルの場にはない、豊かな双方向のコミュニケーションになります。

実は一度に多くの人から知恵や情報をもらうことは、オンラインでチャットを使う方がリアルの場よりも圧倒的に簡単です。付箋を配る必要もありません。問いを出して、いっせいに書き込んでもらうだけで、多くの人の声を集めることができます。１人ひとり違う答えが、チャットに流れると、参加者同士の情報の交流や知恵の交換ができます。なにより「集まったかいがある」と感じることができます。

◉アナログ・リアクションカード（TK カード）

オンライン会議で「あっ、この意見いいな」と思い「いいですね！」と声に出すと、音声がきりかわり、話の流れが切れてしまったりします。また、大き目のリアクションじゃないと伝わらないけれど、変な人だと思わないか、と言うをやめてしまったり。そんな時は、アナログのリアクションカードはいかがでしょうか。使い方は簡単です。自分の画面にその時にあったリアクションカードを画面に出すだけ！大きな紙でもいいですが、小さな付箋にかいて、カメラに近づけるだけでもOK です。

リアクションカードの利点は、会話の流れを一切邪魔することなく、相手に思いを伝えることができる点です。とくに、チャットやコメント欄への記

入では味わえない、アナログの手書きコメントが、場をなごませること間違いなしです！

例えば、遅れて参加したとき、中座したとき、オンラインが落ちてしまったときなどにも、「申し訳ありません」「ごめんなさい」のカードを出すと、進行をさまたげず、気持ちを伝えることができます。

一方で、アナログのリアクションカードは、「なんだなんだ？」と、かえって注目を集まることにもなりますので、集中して議論や講義などがすすんでいる場合は、取り扱い注意です。

アナログリアクションカードは、最強のオーバーリアクションかもしれません。

＊バーチャル背景を設定している場合は、リアクションカードがうまくうつらないことがありますのでご注意ください。

＊ちなみに、ハンズオン埼玉ではこのアナログリアクションカードのことを「TK カード」と呼んでいます。2020 年 9 月、ハンズオン埼玉主催のオンラインアイスブレイク研究会に長野県木曽から参加してくださった竹脇恵美さん（長野県長寿社会開発センター木曽支部コーディネーター）が、おもむろに「いいね！」と手作りの看板を画面に出され、参加者一同「おお」と学んだことにちなみ「竹脇看板」転じて「TK カード」と呼ぶようになりました。

Ⅲ　チームで場をつくる

これまでご紹介してきた事前の準備、当日の工夫は、1人でできるものではありません。複数のメンバーで助け合いながらすすめていくことをおすすめします。オンラインは気づくと孤立しがちです。部屋で、1人で焦っていると、「クソ！オンラインもういやだ！」となります。逆に、みなで取り組むと、よいチームになっていけます。どうか、1人でがんばらないで。

役割分担が必須 16

オンラインの場づくりでは、主催者側はなるべくチームで対応しましょう。例えば以下のような役割分担があります。参加者の人数が少ないようであれば、兼務も。

○受付する人
　参加者名簿を見ながら誰が参加できているか（画面にたどり着いているか）をチェックする

○進行を担当する人

○技術的な支援をする人
・ブレイクアウトルームなどの振り分けをする
・参加者が「落ちた」などのトラブルを担当する

○参加者の様子を丁寧に見る／サポートする人
　必要に応じて参加者に直接声掛けをしたり、ついていけていない参加者がいるようなら、進行をとめて、講師や進行者に質問や確認をしたりする

スタッフ・講師間の連絡ツール 17

リアルでもオンラインでも、主催者側のスタッフ間で、あるいは講師と主催者の間でコミュニケーションをとる必要があるのは同じです。参加者にも聴こえる形で、場全体に対する連絡と、参加者には見えない形でのやりとりの両方をうまく使い分けると、安心できる場になっていきます。

リアルであれば、耳元でささやいたり、メモを手渡したりしますが、オンラインでもその動きが必要です。スタッフ・講師間のやりとりのための専用のツールがあると安心です。

例えば、こんな場合につかいます。

- 会のはじまりの参加者の参加の状況（あと何人くる？）
- 講師に対して、補足してほしいことの説明
- 特に配慮が必要な参加者への対応についての相談
- 時間の管理

うさぎ：
あと５分で、休憩時間です。

らいおん：
了解。次の人でいったんきりますね。

いわゆるチャット機能で、スタッフ宛に限定してメッセージを送ることもできますが、間違って、参加者全員におくったりするリスクがあります。

まったく別のツールをつかってのコミュニケーションは、わかりやすく失敗も少ないようです。

LINE や Facebook のグループなどプッシュ型でお知らせが来るタイプの SNS が便利です。

参加者とともに場をつくる 18

前述（13 ページ）のとおり、オンラインは、参加者の見えている世界（画像、音声）が、それぞれ違う可能性があります。どう見えているか、どう聞こえているか、丁寧に確認しながらすすめることで、「置いてけぼり」の方がいない場、参加を保障できている場になります。

「わからないことがあったら、○○がわからないのですが、といつでも止めてください。そう言っていただくと、わからない、伝わっていないことが、こちらに伝わりますので」「チャット欄に書き込みいただくのも歓迎です」など、こまめに声をかけましょう。

また、技術的な問題・機能・操作方法についても、参加者で詳しい方や、過去に類似の経験をして解決方法を知っている方がいらっしゃることもあります。積極的に声をかけ、協力をよびかけましょう。

あたたかい場は参加者の力をいただいてこそ、生まれます。

「for　参加者」から、「with 参加者」へ

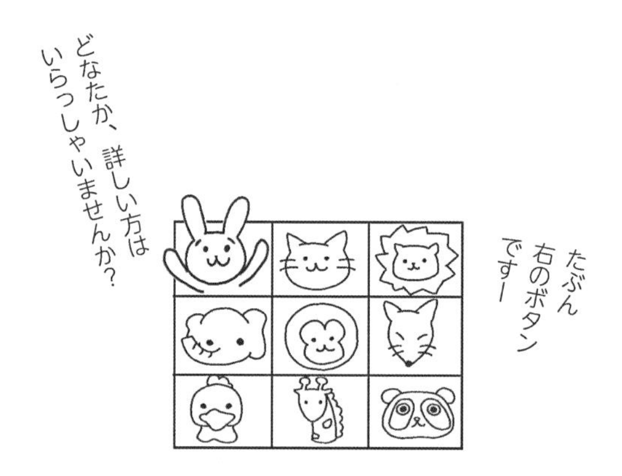

あたたかい場づくりのために参加者としてできること

場をつくっていくのは、参加者にもできます。参加者の「応え」（リアクション）が安心の場をつくっていきます。参加者にできることはたくさんあります。以下、いくつかご紹介します。

1 うなずく

「うんうん」とうなずくと「あなたの話、聞いているよ！」というメッセージを相手に伝えることができます。前述（23ページ）の通り、オンラインはどうしても、相手の反応が分かりづらいという弱点があります。ちょっと大げさなくらいの反応をしてあげると、話し手も安心。**「場をあたためるために、参加者としてできることの8割は、うなづき」**とあえて断言したいところです。

2 質問する

自分がわからないことを質問するのも大切ですが、初めての人や慣れていない人、立場の弱い人など、質問をすることに勇気がいる人がいるときは、**代わりに質問をして、確認・理解を助ける**ことができます。

「なるほど〇〇なんですね」と反応をすると、他の参加者も刺激されて、書き込みがはじまり、場がにぎやかになっていきます。不思議と「一緒に居る」という感覚を持つことができます。研修などで、講師からの指示やキーワードをメモしてあげると、聞

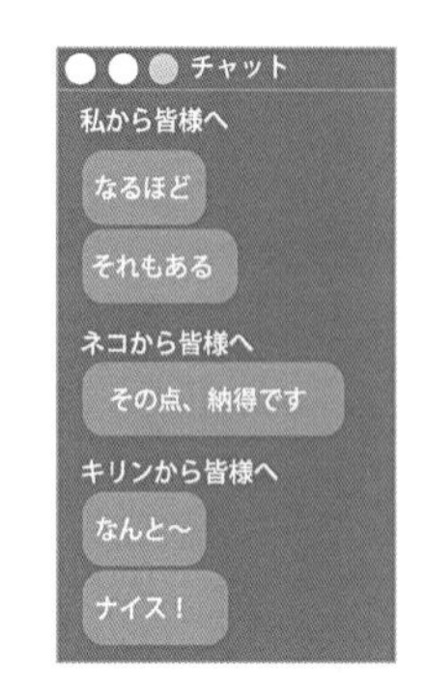

き逃したという方も安心。関連サイトのURLを貼り付けるなど、話題を深めたり、広げたりするときにも有効です。楽しく使えます。スタッフの工夫として24ページに書きましたが、**参加者の肯定的な書き込みは場の空気を確実にあたためます。**

映像・音声を常時オンに

自分の発言の時以外は音声（マイク）をオフにする、がマナーとして浸透して来ましたが、実は少人数で環境が整っている（ヘッドホン使用等）場合には、**映像・音声を常時オン**にした方がよりコミュニケーションが円滑に進みます。誰かの発言についての笑い声が聞こえる、「え？」「なにそれ〜」など思わず反応してでた言葉が聞ける等、マイクをオフにしていると聞けないリアクションの声たち。不意にとびこんでくる雑音も、本来リアルの会議でも起こりうることで、場がなごんだりします（もちろん程度の問題とも言えますが）。

意見を出すときは受け止めてから

話し合いが盛り上がってくるとついつい発言のトーンも強くなりがち。だからこそ、**相手の発言に対しては、いったん受け止めた上で、自分の意見を述べる**ように心がけると、場の空気が冷えず、建設的な議論になっていきます。

「それではうまくいかないと思います」ではなく、「なるほど、おっしゃったやり方もありますね。一方で、私はこんなやり方もあるのではないかと思うのですが、いかがでしょう＾＾」など。

たしかに、たぬきという方法もありますね。でも、うどんという視点でいえば、きつねっていう手もありますよね

輪になって、耳を傾けることから

よりあい＊ええげえし（埼玉県坂戸市）さんに学ぶ

オンラインにもいくぶん慣れてきた2020年秋。コロナ禍で、再開がもっとも難しいのが高齢者のサロンやサークル活動。筆者（西川）の住む団地でも、3月末から再開できていない。リモートは高齢者にはきびしい。

さてどうしたものかと思案中のところ「毎週、オンラインで〝よりあい〟をひらいている高齢者のグループがある」と聞いて、早速連絡をとってみた。

埼玉県坂戸市のボランティアグループ『よりあい＊ええげえし』。事務局長の須田正子さんからの返信は「大歓迎です！ぜひご参加ください！」。

いきなり参加でいいのかな？と思いつつ、次の月曜日の朝10時、どきどきしながら、指定されたURLをクリック……Zoomのマス目の画面に20数名の高齢男女が縦横にずらっと並んで「壮観」な光景。

平均年齢77.2歳！最高齢は87歳！

まずは近況報告。

「おはようございます。○○です。週末ひさしぶりに街にでかけたら、たくさんの人で驚きました。ではつぎに□□さんどうぞ」

「□□です。畑のだいこん20センチになってしまいました。昨日、あわててうるぬき（「間引く」の方言）ました。西川さんようこそ！では次△△さん、お願いします」

この一週間に起こったこと、感じたことを話し、次の人を指名。指名された人は、「私のニュース」を紹介し、また次の人へ。指名されて音声の〈ミュート〉をはずすしぐさも手慣れたもの。誰かが話しているときは、他の人はうなづきつつじっと耳を傾けている。

「Zoomをつないでたら、高校生の孫に、おじいちゃんすごいといわれました（笑）」

「自分がでかけるのはまだちょっと控えています。だからこの時間が一週間で一番の楽しみです。」

うれしかったこと、気になったこと、様々な話題が順繰りに紹介され、穏やかな語りと笑いの時間がつづく。

「西川さん、参加してみての感想を」と聞かれたので、「高齢のみなさんがこんなに普通にオンラインで交流しているなんて…失礼ながら……〈奇跡の風景〉ですねえ」と答えると、どっと笑い声がはじけた。

オンラインなのにこのおだやかな空気は一体、どこから生まれてくるだろうか。よりあいの終了後、須田さんにお話を聞いた。

『ええげえし』は、2001年、市の高齢者施策について学ぶ会として発足した。以来、毎週定例の月曜日の「よりあい」をはじめ、希望者が集まって、ケアプランやパソコンなどの学習や、健康吹き矢、お茶会など多彩な活動を広げてきた。地域のイベントやボランティアにも会として参加している。「ええげえし」とは、秩父地方の方言で、助け合いのこと。「相返し」と書く。「高齢になっても、閉じこもらず、楽しく寄り合って、地域で元気に出会い、お互いを支え合いたい」という想いがこめられている。

2020年の春、緊急事態宣言で活動が休止。しかし、なんとか会えないかと、パソコンが得意なメンバーが中心になって、一人ひとりに連絡をとり、苦労しながらラインをつないで

いった。

「高齢者は一度失敗すると『迷惑かけたからもういいや』となって、遠のいてしまいがちです。だから『できなくてあたり前、迷惑かけても大丈夫。あなたが失敗してくれたから、私も学べましたよ』と声を掛けます。これはコロナの前からです。」と須田さん。

今回、「西川さん、はじめまして！」と何人もの方が画面越しに声をかけてくださった。地域の活動の中では「いつも同じ人と話している」「関係ができあがっていて、新しい人は入りにくい」というような声をよく耳にする。

『ええげえし』では、どんな集まりでも会のはじまりには、必ず全員が輪になってすわり、一言近況報告をする。またその日の活動の終わりには、また輪になって一言ずつ話す。

「『◯◯に住んでいる◯◯です』の一言でもいいんです。私はここにいるよ、と言ってもらうこと。それを、みんなで受け止めることからなんです」

会の活動が長い人も、今日はじめての人も、対等に、みんなで場がつくれるようにと、さまざまな工夫を重ねてきた。お茶会などの活動も、してあげる人と、してもらう人にならないよう、スタッフも参加者も全員同じプログラムを楽しみ、ひとことずつ語る。

「オンラインでよりあい」って?、という興味で参加させてもらったが、学んだことは、人がよりあうことの意味と、それはどうすればつくれるのか、だった。それは、オンラインであろうとリアルであろうと同じだった。

コロナ禍で私たちが失くしたものは、毎日を支えていた他愛のないおしゃべり。どんなかたちででも取り戻していきたい。

できればそれは、誰にでも開かれたかたちで。(西川正)

＊上記の原稿は、『くらしと教育をつなぐWe』229号2020年12・1月号所収、「あそびの生まれる場所〜オンラインよりあいの会」を一部修正し転載したものです。

よりあい＊ええげえし の facebook より

【オンラインよりあいの会】

2月1日(月)は参加者25名で、ゲストは田畑佑佳先生(女子栄養大学実践運動方法学研究室)でした。ひと言あいさつを交わしたあと、座位でできるエクササイズのご指導をいただきました。初めに、それぞれで脈拍を1分間数えました。100を超えていたら運動はお休みとのことでしたが、全員OK! オンラインでの体調チェックの一方法ですね、参考になる〜。丁寧なストレッチの後、音楽に乗って体操をしました。曲名は「悪女の季節」。色っぽい(?)動きが普段使わない所を動かすことに。(笑)この体操でも身体のいろいろな部分がストレッチされて、身体がぽかぽかしてきました。

https://www.facebook.com/Yoriaieegeesi/posts/2183021878499474

持ち寄って場をつくる　場づくりレポート②

〝オンライン名曲喫茶『もちより』〟

2020年12月12日(土)20時〜延長こみ23時すぎまで、「オンラインサロン vol.02〝名曲喫茶もちより〟」を開催しました。

やり方は簡単。参加者の各自が、1曲ずつ自分にとっての名曲（迷曲・酩曲なんでもよし）を持ち寄って、順番にその曲の思い出や選定理由を紹介してもらい、オンラインで聞いていくというもの。YouTubeには、なんでもあります。

この日は、全国から20名が参加。1曲ずつもちよるだけで、知らない人同士でもなぜか「一緒に居る」感がわいてくる。人となりが見えてくるから不思議。

この日、紹介された曲は全部で23曲。TM NET WORKにはじまり、八代亜紀からクイーンから、ドヴォルザークを経て、むしまるQまで、時代も青春もかけめぐる脈絡皆無諸国漫遊百家繚乱千姿万態。

「なんですか〜このうたは？」「私も好きなうたです〜」などなど、笑い声があふれるあったかい、あっという間の3時間になりました。

以下、参加者からの感想をご紹介します。

←ミラーボール

「あつまって、特に何か役に立つ話も勉強もなくても、こうやって時間や場を共有しあって、何か（今回であれば音楽）を間に挟んでじんわりと人との距離をつめていくって、コミュニティの根っこの部分を強くしてくれるものですね。」

「ほんとに、地方都市の路地裏の怪しげなスナックにふらりと入ってしまった感じでした（笑）。」

「はじめましての皆さまと、こんなに楽しくお会いできるなんて！」

「自分では絶対に興味をもたないような素敵な曲を沢山聞けたので、本当に楽しかったです。」

「誰もが一度は出番があるところがいいですよね」

「好きな音楽を伝え合うって焚き火

と同じ効果？がありますね。」
「普段そんなに音楽を必要としない人間なんですけど、やっていくうちにワサワサいっぱい紹介したい曲が出てくる気がしました。」
「クラシックは浮くだろうなあと冷や冷やしながらの参戦でしたが、マイノリティでも好きなものを好きって紹介できる場所、いいなあと思いました♡」
「匂いこそしませんが、体に流れた熱量が思い起こされます。」

「みんなちがって、みんないい」という有名な詩があります。ここで作者の金子みすずが小鳥と人間ではできることが違う。それがいいと言っています。でも、違うというのは、もう一つあります。それは「好き」です。赤色よりも、青色が好き。他人と比較してもしかたがない、それが好きというもの。しかも、好きになるというのは、自分を含めて誰にもとめることができません。

自分が好きなものを、好きと表現すること。そのことを、まわりの人が、「そうなんですね〜」と受けとめていくこと。好きの肯定は、少しおおげさに言えば、その人の存在が肯定されるということではないでしょうか。

このオンライン名曲喫茶『もち

〝オンライン名曲喫茶もちより〟（2020年12月12日夜開催）にて、ご紹介された「名曲」一覧

1 TM NET WORK : SEVEN DAYS WAR
2 B'z : love me, I love you
3 八代亜紀 : おんな港町
4 ゴダイゴ : ビューティフル・ネーム
5 カラヤン.ベルリンフィル : ラヴェル ー 亡き王女のためのパヴァーヌ
6 打首獄門同好会 : 布団の中から出たくない
7 小山卓司 : パッシングベルで
8 岡林信康 : 新設 SOS
9 荒野の果てに （Angels We Have Heard On High）
10 みいつけた！グローイングアップップ
11 The Betty : Be Sure
12 Red velvet : Psycho
13 クイーン : Now I'm Here
14 Milet : Who I Am
15 ドヴォルザーク : 交響曲第9番「新世界より」第4楽章
16 平野愛子 : 港が見える丘
17 SEX MACHINEGUNS : みかんのうた
18 水戸黄門のテーマ
19 ソウル・フラワー・ユニオン : 満月の夕 〜延長〜
20 ジャクソン5 : サンタがママにキスをした
21 ウルトラセブンオープニングテーマ
22 パーランマウム : リンダリンダ
23 むしまるQ : アリとアリクイ

より』は、元々、長野県の公民館で実践されているイベントです。それまで公民館には寄り付かなった高齢の男性が多数参加されているとのことで、筆者（西川）も以前、長野県千曲市の戸倉公民館におじゃましました（＊）。館長の北村勝則さんにお話をうかがうと、こんな風におっしゃっていました。

「誰に気兼ねすることなく『俺が聴きたい』と思った音楽をかけていいんですよ」

実際、館長さんの秘蔵の一曲は誰も知らない曲でした。今回、オンラインでの音楽カフェにも北村さんもご自宅のレコードプレーヤーを用意して、参加してくださいましたが、あいかわらず他の参加者が全く知らない、昔のレアな曲を楽しそうに紹介してくださいました。

お芋も音楽も人が集まる場は、もちよりが楽しい。次は何を持ち寄ろうか。

（西川正）

＊訪問時のレポートを西川が連載している雑誌に書いています。ご参照ください。『くらしと教育をつなぐ We』 231号 2021年4・5月所収、「あそびの生まれる場所」「音楽 cafe」）

曲をかけている間は、チャットでおしゃべり。一部ご紹介（ランダムに抜粋＆名前は省略）

1:42:22 ソノシートってありましたよね
1:44:04 宇宙少年ソランのソノシート持ってました。
1:44:14 モヒカン www 良いですね（笑）
1:45:27 南沙織～！
1:45:36 すばらしい！
1:51:46 荒野のはて、ですね
1:51:56 とたんに清らかな人間になったよう
1:52:24 ボリューム UP して聞いてます！
1:52:24 少年合唱の荒野の果てにも美しい
1:52:45 たしかにいい人になれそう。
1:52:51 多幸感はんぱないですね～
1:52:57 グローオオオオリア　よく歌いました
1:54:05 今年クリスマス会ないので皆さんと讃美歌共有できて嬉しいです
1:55:17 子どもが小さい頃を思い出す
1:55:39 可愛い。＾＾
1:56:11 星野源ですよね
1:56:11 合唱団になってますね。
1:56:28 青い椅子は芸人のサバンナ高橋さん
1:57:14 椅子とのお別れ
1:57:49 困った,めっちゃ楽しい！
1:58:20 こちらに紹介あります
1:58:47 また聞いてみます(^_-)-☆
1:59:31 残念ですが、ここで失礼します。またご一緒したいです～
1:59:40 ありがとうございました～
2:01:40 家族が帰ってきちゃってイマイチはじけられなくなった（涙）
2:12:08 もう静止画で怪しい
2:12:18 似てるー！
2:12:41 激しいうごき・・・。
2:12:44 予想以上に激しいですね笑
2:12:45 めっちゃ忙しダンス
2:13:07 これは腰いためるたしかに。
2:13:09 腰に来ますね
2:13:10 普段やってない人が急に踊ると絶対どこか痛めます
2:13:21 やせましたか？
2:13:31 消毒作業の動きに見えなくもない
2:13:32 ひとにはいろんな歴史がありますね
2:17:12 クイーン！　猫
2:17:26 映画の最後泣きました
2:19:19 やっぱり生のステージは最高ですよね！
2:19:50 私も持っています
2:20:34 Queen 大好きです
2:20:56 私も最初になじんだ洋楽はクイーンです。
2:21:12 映画、泣けました
2:22:06 Queen 縛りでやっても楽しそう！
2:23:06 館長さんお初でしたけど、ありがとうございました
2:23:16 西川さんのメイクが意外にフレディ見えてきた
2:23:27 でしょー
2:29:20 さっきは、I'm here で、こんどは、 who I am
2:29:24 ほんとに何を聞いても上手です。すごく好きです。
2:31:04 この会は年代の幅も広いですね～
2:31:40 ジョーズ！？
2:31:58 これが新世界
2:32:12 ジョーズ（笑）
2:32:13 通天閣の？
2:32:18 ゲームの音楽（パロディウス）・・・。
2:32:37 闇・・・・
2:32:43 ドボ9
2:35:39 ダブルラジカセ懐かしいです。よく分かります!
2:35:49 CD 若者には高かったですよね

手を動かすと、居心地がいい

〝Zoom でちくちくタイム〟

2020年4月、最初の緊急事態宣言が発令。日本全国がいっせいに息を止めた瞬間でした。誰もが家にいなければならない。おしゃべりができない。人とつながりたい、何かしたい……。その気持ちを目に見えるかたちにできないか、と思案している時、友人から「自宅でマスクを作っている人に、もう一枚作って贈ってもらう活動がある」と聞き、これならできるかもと呼びかけたのが、『翔んでさいたマスク！プロジェクト』でした。県内外のあちこちから、個性的なマスクが贈られてきました。

さらに、やはり顔をあわせて何か一緒にできないか、と考えたのが、ハンズオン埼玉としても初となるオンライン企画『Zoom でちくちくタイム』です。

第1回目は、2020年4月26日に開催。21名が参加。慣れないZoomで、しかも針仕事、果たして成立するのだろうか、とドキドキしました。いざ、はじまると、ちくちく動いている小窓がパソコン画面いっぱいに広がり、ちょっと可笑しい。元家庭科教師の礒部幸江先生の丁寧であたたかいご指導もあって、みんなそれぞれのペースで布マスクを作ることができました。

第2回目は5月17日に開催。礒部先生の教え方もさらにわかりやすくバージョンアップ。初めて布マスクを作る方も、戸惑うことなく作成することができました。ひたすら無言でちくちくする人、時々お話しする人。宇宙から参加のヒーロー、初めての共同ちくちくをする新婚夫婦、最後の集合写真に飛び入り参加するお父さん。それぞれの参加スタイルにほっこりしたり、クスッとしたり。楽しい時間になりました。

参加者からはこんな感想をいただきました。

「完璧を目指してないところが（←褒め言葉です）居心地よくて、私もマイペースでやらせてもらいました」

「みんなが『せんせーい！』と聞けるのがいいな、と思いました。ゆるゆると安心できる時間だなーと思いました」

「とても貴重な体験でした！ 企画を見て『やってみよう』と思えたこと、気持ちの変化を感じられたことは貴重でした。つながり方のきっかけも色々あるんだなと」。

4/26 第１回 ちくちくタイム
ちくちく動いている小窓がパソコン画面いっぱいに広がる

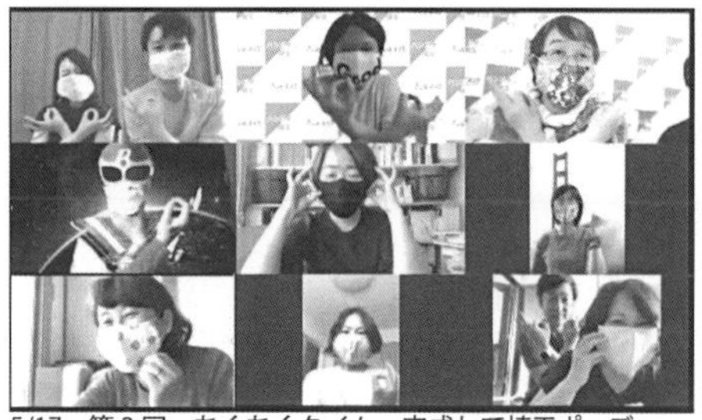

5/17 第２回 ちくちくタイム 完成して埼玉ポーズ

オンラインは、全員が前を向いているので、ちょっと圧迫感があります。手作業があると、目線は下におりて、耳を傾けているので、かえって「居やすい」。そして同じ作業をしているので、「一緒にいる」感があります。

作業をしながら「○○さん、プレーパークってどんな場所ですか？」「△△さん、大学はどんな状況ですか？」と進行役がふると、それぞれ手をとめて、顔をあげお話をしてくださいます。他の方は、黙々と作業しながら、うなづいてくださっていました。

哲学者の鷲田清一さんは、次のように書いています。東日本大震災で大きな被害をうけた三陸の人々は長い間、普段の暮らしの中で「傍らにいて、何かしながら」、お互いに時間を与えあってきた、と。漁の網を直しながら、互いの話を聞きあってきたのだ、と。

ちくちくタイムと重なるような気がしました。

（西川正）

かぶると脱げる

場づくりレポート番外編

カブリモノ研究会オンライン編

LINE や Zoom などでは、背景を変えたり「お化粧」ができたりします。それもまたよし。他方、アナログの変身も場をなごませるのに有効です（たぶん）。

ハンズオン埼玉では、以前から「カブリモノ研究会」と称して、「カブリモノ」の効用と作成方法について研究を重ねてまいりました。コロナ禍でも、めげずに開催ということで 2020 年 6 月、オンラインのカブリモノ研究会を開催しました。参加者それぞれアイディアあふれるカブリモノタイム。途中、オンラインをつないだまま、材料をお店に買い出しにでかけた参加者が、お店から生中継をしてくれたり、楽しいひとときとなりました。

立体はもちろん楽しいですが、二次元の顔出し看板タイプでも楽しい、そして案外簡単にできます。

~~失笑~~必勝 アイテム！

某社協の H さんの年始のご挨拶の画像。すばらしすぎ。
(H さんの FaceBook より)

一瞬にして着替えができる仕事用

すぐ謝罪できる記者会見用

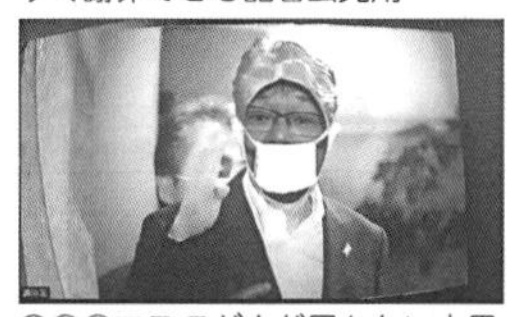

○○○マスクがまだ届かない人用

2020 年はこれにはじまり……

これで終わりました

研究報告 その2

オンライン
アイスブレイク研究

A 失笑？は世界を救う。

「失笑」の正しい意味をご存知でしょうか。一般に「言動や行動がおかしい様子を馬鹿にしたように『フッ』と笑う」という意味で使われていますが、それは誤り。本来の意味は「(笑ってはならないような場面で）おかしさに堪えきれず、吹き出して笑うこと」です。

会のはじまりは誰しも緊張するものです。その緊張で膨らんだ風船の空気を逃してあげること。するとその表面にはシワができます。余白、です。その余白があると、異論を受け止めることができるようになります。肩の力が抜け、表現してもいいかなと感じられます。

その意味で、いわゆるアイスブレイクとは、実は失笑が目的なのではないか。私たちはあえてそう言いたいと思います（関西弁で「しょうもなぁーー」の世界です)。

ここでご紹介したいのは、正しく失笑を狙う（？）アクティビティです。

思い切って（！）ためしてみてください。

それは業務命令ですか？

A 失笑？は世界を救う。

ズームでやる気チェック

あほらしさ満点

失笑上等！

オンラインならでは！

今日のやる気は−？

講座や会議のスタートで参加者のその時点のやる気や思いをカメラとの距離で表現してもらい、楽しくチェック。オンラインならではのアイスブレイクです。やる気あふれるという方はカメラに近づき、そうではない方は遠くへ。近づきすぎてオデコしか見えない人、遠すぎて小人のようになってしまう人、画面をみるだけで思いの度合いが一目瞭然です。

2 分程度

3 人～画面で見える範囲

進行役は事前に質問を考えておく必要があります。

1. 主催者は最初に何について質問をするかを決めておきます。
2. 「今日の皆さんのやる気をお聞きしたいと思います。すっごくやる気のある方はカメラにできるだけ近づいてください。顔全体が見えなくなってもいいです。逆にやる気がいまいちという方はカメラから遠のいてくださいね。準備はいいですか？では、皆さんのやる気をカメラの前で教えてください。どうぞ！」
3. 画面ごとに顔を近づける方、遠くから小さく映る方、様々な方がいることが一目で分かります。

メトロノーム

「私だけがずれているのではないか」

浅田美代子の「赤い風船」のリズムがおすすめ

揺らぐ心を表現しよう

オンラインの最大の特徴は、ズレ。映像や音声のズレが発生しますよね。普段はそのズレにちょっとイライラすることも。そんな「ズレ」を逆に楽しんじゃうのがこのメトロノーム。みんなで右に左に同じように揺れるだけなのに、画面上ではなかなか同じ動きになりません。

自分だけ逆の動きになっていることも。でも一致した時はそれだけで嬉しくなってしまいます。

5 分程度

3 人～画面に見える範囲

なし

1. モデル役を一人決めます。
2. 「みなさん、これから○○（モデル役）さんと同じように左右に揺れる動きをしてください。画面上で全員が同じ動きになったら成功です。それではよーいスタート」とアナウンス。
3. 簡単な動きなのに画面上では中々同じ動きにならないので、みなさん苦戦すると思います。色々試行錯誤を繰り返し同じ動きになるとすっきりします。

（注意点）

＊ミラーリング機能を使用している方がいると自分の画面では同じのつもりでも、他の人からは逆の動きに見えています。

できそうで、できない手遊びゲーム

頭の中でイメージは出来ても、実際にやってみると上手くいかないことってありますよね。このアイスブレイクはそんな「頭で理解できても、実際にできることとは違う」。そんな当たり前のことに気づかせてくれるゲームです。ボランティアや実習等、これから何かを体験する前に、実際にやってみることの大切さに気づいてもらい、体験への意欲を高めることができます。

＋

＝

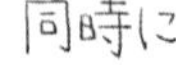

所要時間　3分程度

参加人数　3人～画面で見える範囲

準備　進行役は事前に練習が必要です（見本のため）

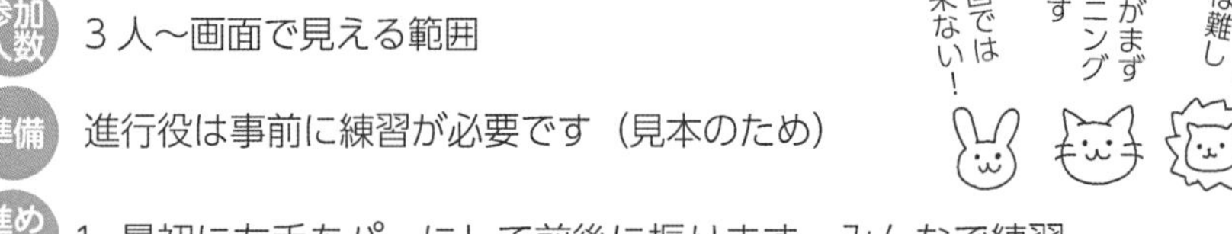

進め方

1. 最初に左手をパーにして前後に振ります。みんなで練習
2. 次に右手をグーにして縦に振ります。みんなで練習
3. 次は、右手グーの縦振りと左手パーの前後振りを同時にやります。「よーいスタート」で一斉に始めます。
4. ある程度みんながチャレンジできたら（きっとうまくいかないはず）、終了したうえこのゲームに込められたメッセージを伝えます。「みなさんの頭の中では両手の振り方が上手くできた時のイメージが出来上がっていたと思います。でも、実際には中々上手くできない。頭でイメージできることと実際にできることとは違うんだという当たり前のことに気づいていただけたかなと思います。○○（例：ボランティア活動）も同じです。頭でイメージする以上に、やってみないと気づけないことがたくさんあります。」

A 失笑？は世界を救う

目をつくろう！

オンラインにありがちな、「記念撮影で」顔出しが苦手な人もこれがあれば大丈夫？！

それぞれ自由に「目」を作ってみんなで記念撮影をしましょう。

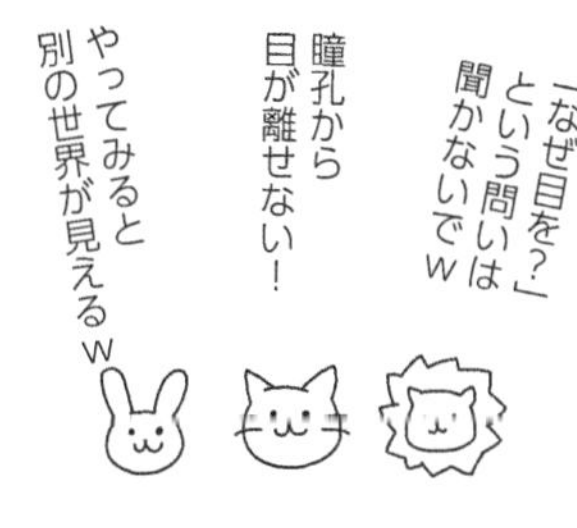

5分程度

何人でも

進行役は目の見本、
参加者は紙・ペン・ハサミ。

1. 「このあと皆さんで記念撮影をします。恥ずかしくて画面に映りたくない人もいるかもしれませんね。そこでどんなものでもいいので、それぞれ目を作ってください。」
2. 作業時間で3分程取る
3. 「みなさん目は完成しましたか？では、一緒に記念撮影をしましょう。はいチーズ。」

（注意点）

＊顔出しNGの人でも一緒に写真を写れる機会になるかも！

＊本書の表紙の写真をご覧ください。

B「トライ　安堵　エラー」で

機器の使い方を確認したり、学習したりするときに、遊びをとりいれることは、大変有効です。遊びの中であれば、うまくいかなくても、楽しい。失敗しても大丈夫、みんながゆっくり待ってくれる、つまり、「トライ　安堵　エラー」……そんな風に感じてもらえたら、そこからきっとよい表現（意見）が生まれるでしょう。

「トライ　安堵　エラー」は、NPO法人佐賀県放課後児童クラブ連絡会の石橋裕子さんに教えていただきました。石橋さんたちは、2020年4月の緊急事態宣言下で、毎日、毎夜、仲間とオンラインをつないで、おしゃべりをしながら、こんな機能もある、こんなやり方もできる、と試行錯誤を重ねてこられました。失敗してあたりまえ、大丈夫と声をかけあえる。「トライ　安堵　エラー」には、そんな関係性がだいじだという石橋さんたちの気持ちが込められた言葉です。

B「トライ　安堵　エラー」で

変わったあだ名で自己紹介

自分の映像には名前が出ていますが、「フルネーム＠所属先」「名前＠出身地」等変更することで色々な情報を伝えることができます。そんな名前の機能を使ってできる簡単なアイスブレイクです。

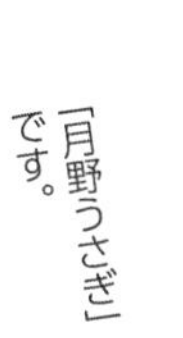

10分程度（人数によって変動）

何人でも

なし

1. 自己紹介をする際に「『名前の変更』でいままでつけられた変わったあだ名にしていただいた上で自己紹介をお願いします。ぜひ、そのあだ名になった理由も教えてください」とお願いし、順番に自己紹介をしてもらいます。

（応用編）

自分の名前の前後に入れてもらう言葉は「好きな果物」「好きな場所」「動物に例えるなら」「今日の一言」等々、様々な応用が可能です。

（注意点）

＊「名前の変更」方法が分からない方には操作方法の説明が必要になります。

＊一人1分等タイムキープが必要になります。

B「トライ　安堵　エラー」で

チャットを使って自己紹介

オンライン上で自己紹介を順番に行うと非常に時間が掛かります。そこで、チャット機能にそれぞれ書き込んでいただくことで効率化することが可能です。名前と所属だけでは少し寂しいので、その時々にあった「一言」を入れてもらうだけで、人柄が浮かび上がります。

5分程度

何人でも

なし

1. 「今日の参加者同士の自己紹介はチャット欄にお願いします。①お名前②ご所属③今日の講座を受講しようと思った理由について、ご記入をお願いします。」というようなアナウンスを行い各自の記入を促します。

（応用編）

名前・所属以外に一つは質問を入れることでアイスブレイクとして機能します。「最近はまっていること」「好きな食べ物」「今日の朝ご飯」から打ち合わせに関連するものとして「夏祭りと言えば？」「前回参加してみての感想」等々、様々な応用が可能です。

（注意点）

＊チャットの操作方法の説明が必要になります。

＊Zoomの場合、後から入室した人には、入室前のチャット情報は見えないため注意が必要です。

B「トライ　安堵　エラー」で

アイディアフラッシュ！

オンラインチャットで、アイディア出しの王道テクニック「ブレーンストーミング」をしましょう。脳内に嵐（ストーム）を巻き起こして、めまいがするほど沢山のアイディアや意見を書き込んでください。

所要時間　5分〜10分

参加人数　何人でも

準備　進行役は、お題をいくつか考えておく。

進め方

1. 進行役は、拡散したいアイディアのお題を出します。
2. 参加者は、制限時間いっぱいになるまで、テーマに沿ったアイディアをチャット欄に記入します。
3. ①批判は厳禁。②結論を出さない。③質より量を出す。④アイディアの便乗歓迎。の4つのルールを遵守しましょう。
4. 出てきたアイディアをまとめたり、グループに括ったりしたい場合は、「Jamboard（https://jamboard.google.com）」や「Miro (https://miro.com/)」といった、オンラインホワイトボードを活用するのがオススメです。

B「トライ　安堵　エラー」で

背景写真を使って自己紹介

当日までの宿題というのもありかも

食べ物のアップが画面いっぱいに並ぶと幸せかも

“しばり”を入れるとおもしろいかも

オンラインツールの基本機能の一つに「バーチャル背景」があります。この機能を使って、自分の顔の背景に写真を写すことで様々な紹介を行うことができます。写真を見ながら、自己紹介をしていただくことでその人のことをより身近に感じることができます。

10分程度（人数によって変動）

何人でも

進行役・参加者共に背景に使用する写真データが必要

1. 自己紹介をする際に「最近の一枚」というテーマで、バーチャル背景を設定していただき、その写真も一緒に説明していただきます。

（注意点）

＊バーチャル背景の設定方法が分からない方には操作方法の説明が必要になります。機器によっては、背景がうまく映らなかったり、顔が見えなくなったりするため扱いには注意が必要です。

＊紹介は、一人１分等タイムキープが必要になります。

（応用編）

「出身地」「好きな場所」「好きなもの」「会議のテーマに関わる１枚」等々、様々な応用が可能です。

B「トライ　安堵　エラー」で

じゃんけん大会

誰でも知っているじゃんけん大会。オンラインの機能を少し活用するだけでもいつもと違ったじゃんけん大会を楽しむことができます。また、あいこじゃんけん、負けじゃんけんなど様々なバリエーションも可能です。

所要時間　5分程度

参加人数　5人～画面が見える範囲

準備　なし

進め方

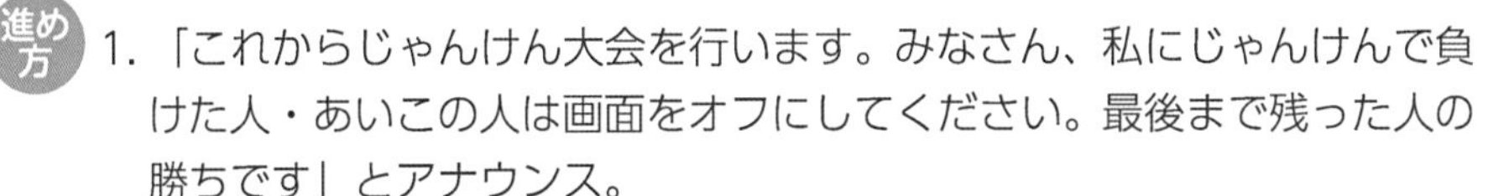

1. 「これからじゃんけん大会を行います。みなさん、私にじゃんけんで負けた人・あいこの人は画面をオフにしてください。最後まで残った人の勝ちです」とアナウンス。
2. じゃんけんをして、負けた人・あいこの人は画面を消していく。最後の残った人が勝ちなので自己紹介や感想を一言話してもらう。

（応用編）

○第二回以降はあいこになった人だけが残る「あいこじゃんけん」や負けた人だけが残る「負けるが勝ちじゃんけん」も盛り上がります。

○グー、チョキ・パーを手で表現するだけでなく、体全体で表現したり、もの（グーは丸いもの、チョキはハサミ、パーは紙等）で表現してもおもしろいじゃんけんになります。

B「トライ　安堵　エラー」で

体内時計

「オンラインって体感時間が違う」って話をよく聞きます。オンラインの時間って想像より、ゆっくり進んでる？はやく進んでる？実際にはかってみるとどうでしょう。

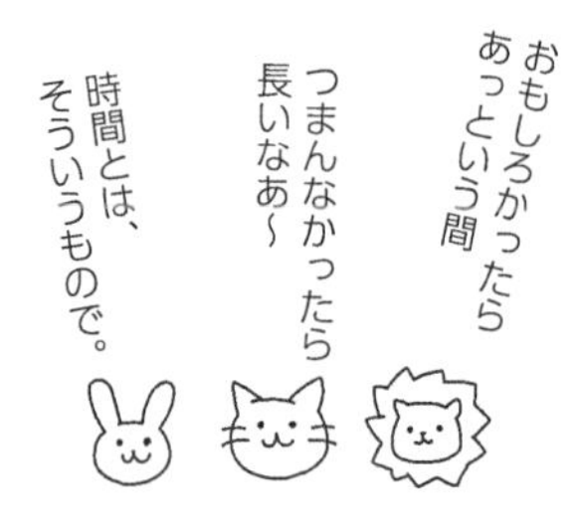

5分

5人～画面に収まる人数

進行役は、ストップウォッチを用意。

1. 体感できっちり30秒をはかることが目標です。
2. 全員画面オフでスタートしますので、進行役は、参加者の画面がオフになったことを確認して、時間をはかっていきます。
3. 参加者は、「30秒になった！」と思ったタイミングで、画面をオンにしましょう。
4. 全員が、画面オンになった時点で結果発表。最も30秒に近いタイミングで画面をオンにできた参加者が優勝です。

B「トライ　安堵　エラー」で

オーバーラップ

「いち！」、「に！」、「さん！」、「さん…あっ！」、ブッブ～。数字が重なったら、また 1 からやり直し～。対面でも難しいのに、オンラインでやると更に難易度上昇！

一進法（犬語）

5 分～10 分

5 人～画面に収まる人数

なし

1. 参加者全員が、一度も重なることなく、1 から順番に番号を掛け合うのが目標です。
2. 全員ビデオオフでスタート。番号を言うと同時にビデオをオンにしましょう。
3. 2 人以上、同時にその番号を言い、ビデオをオンにしてしまったら、その時点でアウト。また 1 からやり直しです。番号を言う順番を事前に相談したり、目でサインを送り合ったりするのは NG です。
4. 参加者全員が、番号を言えたら大成功！なんだか一仕事終えたくらいの気分になっているはずです。

間違いさがし

「さて、どこが変わったかわかるかなー？」オンラインだと、ついボヤッとしがちです。モニター越しであっても、話をしている人をしっかりと見て、学習に取り組みましょう！

5分

何人でも

進行役は、様々な小道具を用意。

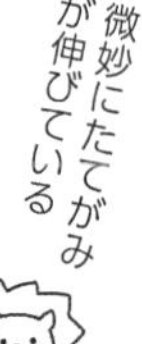

微妙に鼻毛が伸びている

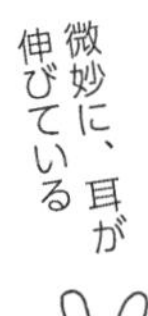

1. 進行役は「自分の今の姿をよく覚えておいてくださいね」といって、一度、カメラをオフにします。そして、自分の身なりや見た目を、少しだけ変更します（メガネを逆さにする、鼻の下にヒゲを付ける、おでこにほくろをつけるなど）。
2. カメラをオンにして「さぁ、さっきと変わったところがありますが、どこかわかりますか？分かった人は教えてください」という流れで展開します。
3. 「しっかりと話をしている人を見て、学習に取り組みましょう」などと、説明するのもありかも。

B「トライ　安堵　エラー」で

あっちむいてほい

進め方はじゃんけん大会（52ページ）とほぼ同じです。画面上で一斉にいろんな方向に向く顔を見ると、思わず笑みが。鬼と同じ方向を向いてしまった人は画面を消します。画面が消えた人もその後のやりとりを楽しく見守れます。

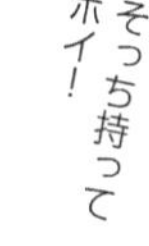

さまざまなホイ

所要時間　5分程度

参加人数　3人〜画面が見える範囲

進め方

1. 「これからあっち向いてほいをします。私が『あっちむいてほいっ』と言って指した方向と同じ方向をむいてしまった人は画面をオフにしてください。最後まで残った人の勝ちです」とアナウンス。
2. オニが指した方向に向いてしまった人は画面を消していく。最後の残った人が勝ち。

（注意点）

＊オニになった人は、声だけで無く大きな動作で方向を指すと伝わりやすくなります。

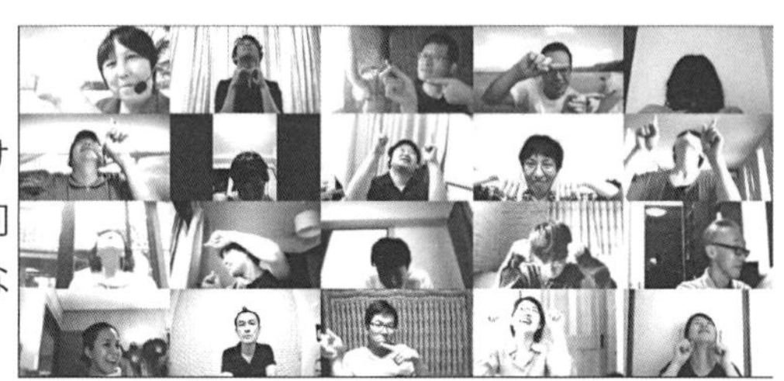

C リアクション 3 割増への道

心が踊れば、身体も動きます。身体を動かすことで、心も開きます。身振り手振り、とにかく凝り固まった心身を動かしてみましょう。

「聞こえていますか？聞こえている方は、大きく○（まる）のサインをお願いします＾＾」というだけでもアイスブレイクになります。「○のサイン」のところを、「ごはんをたべる」「あくびをする」「びっくりする」などのポーズにしてみても楽しいです。画面に区切られているからこそ、画面からはみでる面白さが生まれます。

同じ動きをすることで、同じ時間を過ごしている感覚を確認し、動きがずれることで、笑いが生まれます。

心と身体はつながっています。

C リアクション３割増への道

オーバーリアクション

世界一表情の乏しい民族である私たち（当社調べ）。能は日本の誇る伝統芸能。でも、オンラインでの能面（無反応）は話し手にとってはつらい。応答こそ、安心の礎。会のはじめに「練習しましょう」とみんなでやってみると、なぜか自然に笑顔になっているから不思議。

ノーリアクション、
ノーオンラインライフ。

５分

何人でも

1. 参加者は、音声をオフにします。進行役の「せーの！」の合図で、身振り手振りで、目一杯、拍手の音を表現していきましょう。
2. 音声をオフのまま今度は、思い切り、感情を乗せたうなづきを表現しましょう。進行役は、拍手やうなづきが足らないと思ったら、「もう少し、もう少し〜！」とお願いしてみてください。
3. オンラインのセミナーやワークショップなどでは、人数が多くなればなるほど、話し手以外の音声をオフにするのがルールです。その代わり、感謝の気持ちを送るため、音が無くても相手に伝わる拍手の練習しましょう！

　手話の拍手（顔の横で両手をひらひらさせる）なども楽しいですよ〜

「それな！」の練習

C リアクション３割増への道

ジェスチャーゲーム

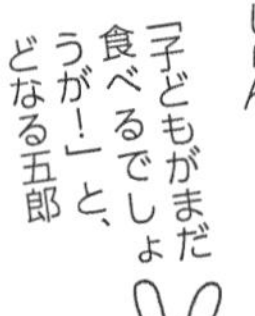

るーるるるる
るーるるるる

泥のついた一万円札をじっと見るじゅん

「子どもがまだ食べるでしょうが！」と、どなる五郎

例題です

オンラインでのやりとりはお互いの反応が分かりづらいので、大きなリアクションを取ることが求められます。そこで、ジェスチャーゲームをすれば、恥ずかしさも無くなって、オンラインでのリアクションもスムーズになります。

所要時間　5分程度

参加人数　3人〜画面の見える範囲

準備　進行役はジェスチャーのネタを考えておきます。

進め方

1. ジェスチャーをする人を決めて、その人にどのようなジェスチャーをしていただくかを個別チャットでお伝えする。
2.「みなさん、これから○○さんが行うジェスチャーは何をしているところかを当ててください。用意スタート」
3. ジェスチャーを当てた人が、次のジェスチャーをする人を決め、その人に何をやってもらうかを「個別チャット」で伝える。

○みんなで同時に同じジェスチャーをやるのも盛り上がります。（例：納豆をかき混ぜる。ソフトクリームを自分で作って食べる）

○お祭りの企画会議なら「お祭りと言えば？」で一斉にジェスチャーをして気分を盛り上げることもできますね。

なっとう〜

C リアクション 3 割増への道

オンライン インパルス

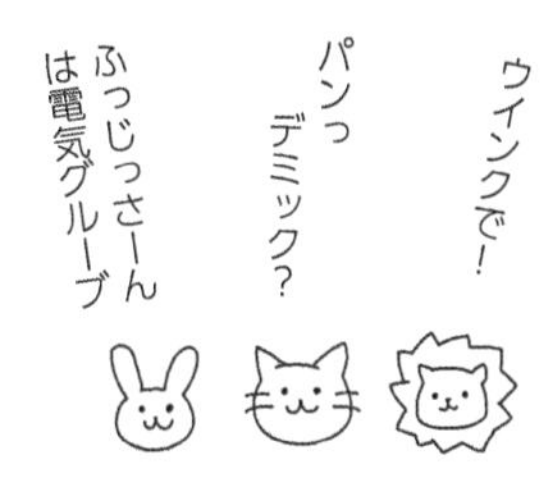

グループ全員になるべく早く、「インパルス=電気信号」を伝えましょう！チームワークと反射神経が、試されるワ　クです。思ったより、繋がらない電気信号にヤキモキ！？

所要時間 5 分

参加人数 10 人〜画面に収まる人数

準備 参加者に 1 から順に番号を振り、表示名に番号を記載。
進行役はストップウォッチを準備

進め方

1. 1 番の人が画面を手を「パンッ」と叩いたら、2 番の人も手を叩く…というように、手を叩く動作を順番に送っていきます。
2. 最後の人が、手を叩いたら終了。進行役は時間を測りましょう。極限まで時間を縮めていくのも、目標を決めて時間を縮めていくのも、チーム次第です。

マイストレッチ

オンラインは対面よりなんだか疲れちゃいますね。段々と、上下の瞼が仲良しに！？オリジナルストレッチポーズで、強ばった身体と心をほぐしていきましょう。

さあ、たてがみを
たてひと吠え～
がおー

ひらりと屋根から
おりますよ～
ひらり！

おなじみ
ぴょんぴょん！
うさぎとび～
ひざをおだいじに～

所要時間 ５分～10分

参加人数 何人でも

準備 参加者に１から順に番号を振り、表示名に番号を記載。

進め方

1. １番の人から順番に、自分の名前を言いながら、自分を表現するようなストレッチを披露していきます。
2. その後、他の人全員で、そのポーズをしながら、ストレッチを行った人の名前をリピートしていきます。これを人数分繰り返していきます。
3. 身体を使って名前を表現すると、意外と頭に入ってくるもの。全員に順番が回った頃には、全員の名前を身体が覚えている（はず）。

D「自宅よりお送りしております」

なんといってもオンラインの特徴は、自宅や職場などそれぞれがばらばらの場所から参加しているということ。その特徴を活かすと、オンラインならではの楽しい時間がつくれます。

本書では、「宝物は？」という問いを紹介していますが（65ページ）、たとえば「冷蔵庫にあるもの」「それがあると気持ちが落ち着くもの」「おすすめ本を一冊もちよって」などのさまざまなバリエーションが考えられます。自宅ならでは、ともいえます。

持ち寄ったものを紹介してもらうと、その人の意外な一面を見ることができたり、人柄を知ることができます。モノは人を表します。

ただそれだけに、少し注意も必要です。自分に関する情報をどこまで開示するかは、その人自身が決めることです。浅くも答えられるし、深くも答えられるような問いだと参加者は安心です。無理に自己開示を要求するのではなく、自然とにじみ出るような場づくりを。

D 「自宅よりお送りしております」

モノしりとり

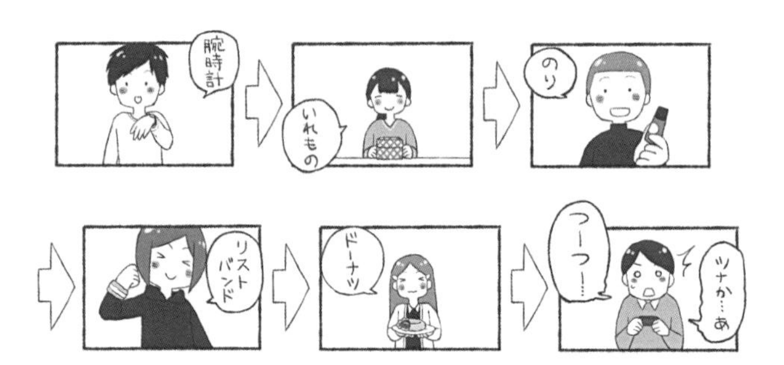

今、皆さんの回りには何がありますか？ノート、筆記用具、ペットボトル…。今から、この身近にあるもので、しりとりをしましょう。制限時間内に、あてはまるものが探し出せるかチャレンジです！

5分～10分

何人でも

参加者に1から順に番号を振り、表示名に番号を記載。

うめざわ とみお
うざき りゅうどう
かやま ゆうぞう
モノにしてください
しかも濃い…

1. 1番の人から、身近にあるものでしりとりを始めます。
2. 次の人は30秒以内に、言葉が繋がる「物」を見つけ出し、紹介をしなければなりません。途中、「ん」がおしりにつくものを持ってきてしまったり、30秒以内に「物」が見つけられなかったらアウトです。以降、参加することができませんので、画面をオフにしてください。最後まで残った人が優勝となります！

（注意点）

＊持ってきたものがおもしろそうなものだったら、なぜそれを持っているのかなどその説明をしてもらったりすると、意外な人柄が見えます。

＊自宅のものを開示してもらうことになりますので、無理はしないように、可能な範囲でお願いしますなど安心して参加できるように声かけをしましょう

D「自宅よりお送りしております」

私のいるところ

今日はどんなところから参加をしていますか？自宅の書斎？職場の会議室？近所のカフェ？山奥の別荘！なーんて人もいるかもしれません。別々のところから参加できるオンラインの醍醐味をつかって、自己紹介しましょう！

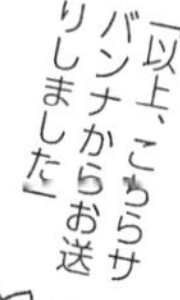

「以上、こちら、屋根の上からお送りしました」

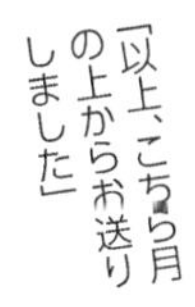

なりきりレポーターズ

10分～15分

何人でも

参加者に1から順に番号を振り、表示名に番号を記載。

1. 順番に自己紹介をしていきます。その際、自分の今いる場所がよく分かるように、カメラを回していきます。
2. ノートパソコンや、スマートフォン、タブレットなどの端末の場合、全体がわかるように少し移動をしながら、紹介をしても良いです。

（注意点）

＊白熱すると、参加者は色々と紹介をしたくなってしまうので、時間の管理をしっかりしましょう。

D 「自宅よりお送りしております」

私の宝物紹介

自宅から参加することが多いオンライン。その良さを生かした、人柄を知り合うためのアイスブレイクです。

「私の宝物紹介」という質問は、自宅ならではの問いです。親しい関係であっても、意外な一面に出会うことができます。

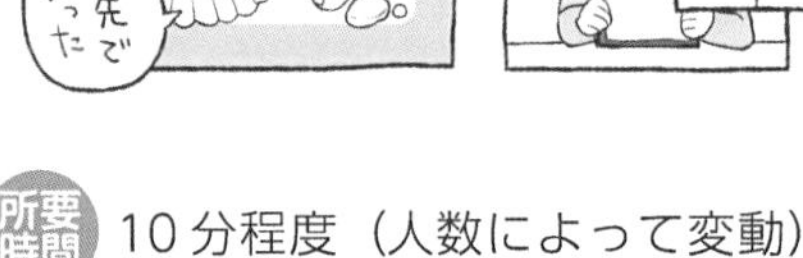

10分程度（人数によって変動）

何人でも

可能であれば自宅での接続

1. 「これから、皆さんに自己紹介をしていただきたいと思います。せっかくご自宅から繋げていただいているので、それぞれの宝物を紹介していただきながら自己紹介をお願いします。まずは、紹介する宝物を探してきてください。」
2. 3分程待ってそれぞれ宝物が用意できたら、「いっせいのせ」で全員宝物をカメラに写していただきます。その後、順番に自己紹介と宝物の紹介をしてもらいます。

（注意点）

＊参加人数によっては時間が掛かるため、一人30秒～1分以内などタイムキープが必要になります。

（応用編）

初顔合わせ等、宝物だとハードルが高い時は「身近にある赤いもの」といった色指定でそれぞれ持っているものを紹介してもらっても楽しめます。

E「好き」からはじまる仲間づくり

やっぱり会は、話してなんぼ。おしゃべりも少人数だからできること。小さなグループに別れて、じっくり話すことで、交流や学びもぐっと深まります。そのグループ分けにも使えるアクティビティです。楽しい雰囲気のままグループでの活動に移れると、ブレイクアウトルーム（参加者を少人数のグループに分けてミーティングを行える機能）などで感じる「密室での圧迫感」も緩和されるかもしれません。

同じ属性や共通する要素で集まることで、共感を得やすくなります。逆に、違う属性や指向性で集まるとその違いから学んだり、違いを楽しんだりできます。その時間の目的にあわせて、使ってみてください。

E「好き」からはじまる仲間づくり

好きなおでんの具は？

初めて出会った人同士で共通点が見つかると、それだけで親近感が湧いてきます。そんな共通点を見つけて、グループ編成をする際に有効なアイスブレイクです。「好きなおでんの具は？」「好きなおにぎりの具は？」「あなたの好きな色は？」等、好きなもの仲間を集めてグループ作りを行います。

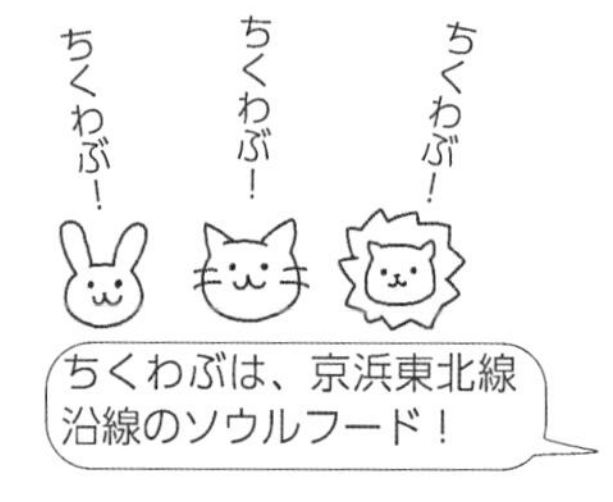

10分程度

何人でも

1. 「これから、グループ分けを行いたいと思います。今日は『好きなおでんの具』で分かれてみたいと思います。これから1分取りますので、ご自身の名前の前に好きなおでんの具をかいてください」というアナウンスを行い各自の記入を促します。
2. それぞれの具が表示されたら、同じ具が好きなグループごとに自己紹介を行ってもらう。その際、その具の魅力も語っていただく。

（注意点）

＊「名前の変更」方法が分からない方には操作方法の説明が必要です。

（応用編）

司会が選択肢を指定（例：ちくわぶ・たまご・だいこんの中から選んでください）することで、グループ数をコントロールすることも出来ます。

したことある人

2択アンケートって、導入時によくやりますよね。「今日は初じめての方が多いですね」など、全体の状況を参加者同士で確認してもらうために有効です。参加者に優劣をつけることにならないように、楽しい雰囲気になるような問いやリアクションを工夫してください（「○○したことがない方、ありがとうございます。だから、今日集まったのですね」など）。

上着はスーツ、下はスエットで、リモート会議したことが…

「リモート会議中、画面は別の作業」をしていたことが…

音声オフで、しばらくしゃべり続けたことが…

5分～10分

5人～画面に収まる人数

進行役はお題をいくつか考えておく

1. 進行役は、「○○したことがある人／ない人」の○○にあてはまるようなお題を出していきます。自動車運転～、海外旅行～、富士山登山～などなど、なんでも構いません。
2. 参加者は、最初画面をオフにしておきましょう。そして、お題に対して「したことがある人」のみ、画面をオンにしてください。
3. お題に対して、ちょうど良く人数がわかれたら、「今のお題で2つのグループにわけます」といって、「あるグループ」と「ないグループ」にわけていきましょう。
4. 多くのグループを作りたい場合は、それぞれのグループに対して、1.～2.を繰り返していきます。

数増やし しりとり

しりとりはしりとりでも、今度は文字数がどんどん増えていくしりとり！あれ、前の人、何文字の言葉を言ってたっけ？！

グループ分けにもつかえます。

5分〜10分

何人でも

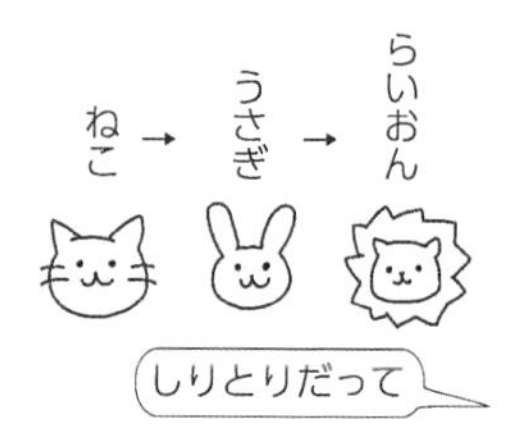

参加者に1から順に番号を振り、表示名に番号を記載

1. 1番の人は、「足（あし）」、「黒（くろ）」など、2文字で表せる言葉から、しりとりをスタートします。
2. 2番目は3文字で表せる言葉、3番目は4文字で表せる言葉…、というように、1文字ずつ文字を増やしながら、しりとりをしていきます。制限時間などを加えてもおもしろいでしょう。
3. 「作りたいグループ数+1文字の言葉（4グループの場合＝5文字、7グループの場合=8文字というように）」までいったら、また2文字で表せる言葉に戻ります。
4. 「ん」がついてしまったり、制限時間内に言葉が出てこなくなってしまったら、アウト！その人から再び、やり直しです。
5. 全員分しりとりが回ったら成功！進行役は、「自分が言った言葉の文字数でグループを組みましょう」と参加者に伝えて下さい。

F オンラインは密の味

リアルでも定番のアクティビティ。オンラインでも楽しめるものがたくさんあります。

オンラインの特徴は、基本１人しかはなせないこと。１人ひとりの言葉をみんなが聴くこと。注目が集まって緊張もしますが、１人ひとりを認めるよい機会でもあります。

「一緒にやってみること」が仲間になる最短の方法です。ぜひ試してみてください。アレンジも無限にあります。

そして、オンラインならではの密の（蜜の？）味があります。

F オンラインは密の味

しりとり

誰でも知っている「しりとり」はオンラインでも簡単にできます。スピードアップや「意味を持たないしりとり」など、徐々に難易度あげていくと盛り上がります。

5～10 分程度

3 人～画面で見える範囲

なし

1. 最初にしりとりを答える順番を決めます。
2. 順番が決まったら 1 番の人から順番にしりとりを始めて行きます。

（注意点）

＊しりとりの「言葉」はチャットに書き込んであげると声が聞こえなくても確認ができます。

（応用編）

2 巡目以降は「スピードアップ」して進めたり、前の人の最後の言葉を使わない「しり取らない」や「意味を持たない言葉（例：ドガガ⇒ガウゲ⇒・・）でしりとり」をしても盛り上がります。また初対面などの場合、次の方を指名して「○○さんどうぞ」と名前を呼んでいくなどの方法も場がなごみます。

F オンラインは密の味

ひとつのウソ

「ウソつきは泥棒のはじまり」なんてよく言いますが、人柄って「ウソのつき方」からよく見えるもの。普段、冗談も言わないような真面目な人に限って、意外とこのゲームが上手なんですよね。

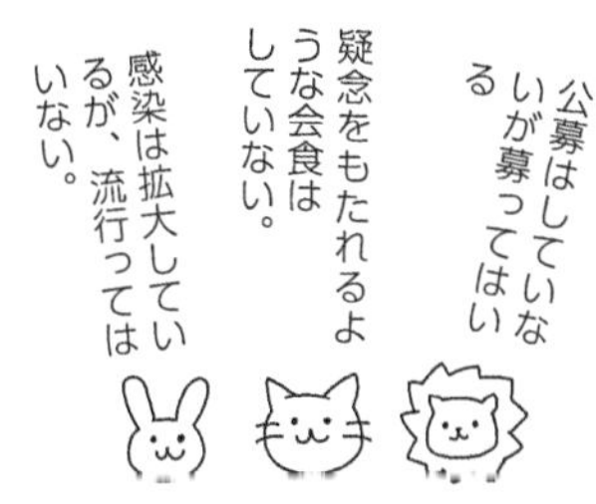

10分〜15分

何人でも

参加者は、メモ用紙とペンを用意

1. 紙を4等分に折り、開きます。折り目に沿って4つの四角形ができるので、それぞれの四角形に、自分に関するキーワードを3つと、まったく関係がないウソキーワードを1つ書き込み、自己紹介シートを作成します。
2. シートを画面越しに見せながら、ひとこと自己紹介スタート。ウソを見抜かれないようにしましょう。また、自己紹介が長くならないように注意。
3. 自己紹介のあと、参加者は、ウソを見破るため2〜3問程度、質問を投げかけます。
4. 質疑応答のあと、進行役はアンケートを実施。ウソキーワードに最も票が集まれば、参加者の勝利となります。

F オンラインは密の味

ナンバーサイクル

番号を回していきます。進行役の指示もちゃんと聞きましょう〜。
え、なんか指示が段々難しくなってない！？

5 分〜10 分

10 人〜20 人

参加者に 1 から順に番号を振り、表示名に番号を記載
進行役はストップウォッチを準備

1. 最初は、単純に 1、2、3、と番号をテンポ良く、1 周させていきます。
2. 1 周出来たら、次は、「3 がつく人は無言で拍手」という条件で、再び、1 周します。
3. 参加者に合わせて、「3 のつく人と、5 の倍数の人は無言で拍手」など、レベルを上げていきましょう。ストップウォッチで時間を競ってもおもしろいです。
4. レベルアップの際、条件を伝えるファシリテーターのテンポもだいじです！人数が少ないときは、何周かしてもおもしろいです。

いっせーの！

元々、参加者が立てる親指の数を当てる遊びです。「指スマ」とか「ちっち」などとも呼ばれ、掛け声のバリエーションが驚くほど多いことでもよく知られています。あなたのまちでは？などと話題も広がるかも。

 5分

 5～10人

 参加者に1から順に番号を振り、表示名に番号を記載

1. 参加者は全員、画面オフでゲームスタート。順番に「いっせーの！○（○は数字）」と掛け声を言います。それと同時に、各参加者は任意で画面をオンにします。
2. 画面をオンにした数が、指定した数と同じならば、数字を言った人はゲームから抜けてください。違っていたら、そのまま残ります。
3. 1.～2.を繰り返していき、最後まで残ってしまった人が負けとなります。

オンライン ワードウルフ

参加者全員でテーマについて話し合いをおこない、皆とは違ったテーマを与えられた少数派の人（ワードウルフ）を探し当てるゲームです。

トータス松本　高橋由伸　千代の富士

全員ウルフかい！

 5分～10分

 5人～10人

 進行役は、事前に話し合いのテーマを決める。

1. 進行役は、事前にテーマを決めておきます。そして、参加者ひとりひとりに、そのテーマをチャットで伝えます。ただし、「多数派=市民」に対して、「少数派（1～2名）=ワードウルフ」に対しては、「多数派＝市民とは違うテーマを伝えます。
2. テーマについて「話し合い」がスタートします。この時、「誰がワードウルフなのか」ということを考えながら話し合っていきましょう。
3. 話し合いの制限時間が来たら、ワードウルフだと思う人をチャットに入力してもらいます。その際、チャットは全員宛にしましょう。
4. チャットによる投票の結果、最多票がワードウルフだったら、市民側の勝利。逆に、最多票が市民だったらワードウルフ側の勝利となります。

以上です

あとがき

「社会のアイスブレイクになりたい」そんな思いで、私たちは日々不要不急の三密活動を展開してきました。コロナ禍で全てが一変してしまいました。当初はオンラインでの活動に懐疑的でしたが、１年間の試行錯誤の末、工夫をすれば思いや熱も伝わることが分かってきました。本書を手に取ってくださった方の活動に一つでも活かしていただける視点があれば嬉しいです。（川田）

オンラインの場は「オタクの集まり」でしたが、社会の変化によって少しだけ「できる人の集まり」になれました(’ω’)（ヨッシャー）オンラインは楽しい場です v(￣Д￣)v ｲｪｲ　オンラインって難しいし、わけわからん！そんな人が少しでも楽しいと感じる場のキッカケに関われてよかったのです。（宮城）

コロナ禍でデジタルによるコミュニケーションは 10 年分進化したと言われています。しかし、我々を含めた地域団体や自治組織などは、まだまだ進化途中。あーでもない、こーでもないと言いながら、アナログで培ったあたたかい場づくりを、デジタルでも形にすべく日夜、勉強中です。そんな我々の研究経過を読んで「これならできそう！」と少しでも思っていただけたら嬉しいです。（志塚）

人は独りでは生きていけない、だからこそ繋がりを大切にすべく、対面による対話を重視してきたが一転。感染症により分断された生活へ。そしてオンラインでの繋がりの構築が加速。お互いを認め合い尊重し合うためには、方法は何であれ、協力した場づくりが必須。それを再認識できました。（仙波）

「『遊ぼう』っていうと『遊ぼう』っていう…」3.11 のあと CM で大量に聞いた金子みすゞの詩。応えてくれる誰かがいれば、遊びは生まれる。遊べば仲間になれる。オンラインでもそれは同じ、を実感した一年でした。「こだまでしょうか、いいえ希望（のぞみ）です」w（西川）

執筆：研究報告その１＝宮城智広、仙波愛優佳、西川正、　研究報告その２＝志塚昌紀、川田虎男
編集：西川正

オンラインの（あたたかい）場づくり自主研究ノート ver.1

2021 年 5 月 15 日　初版発行
2021 年 12 月 15 日　第 2 刷発行

イラスト：実樹もみじ
執筆編集：特定非営利活動法人ハンズオン埼玉 アイスブレイク研究会チーム
発行：特定非営利活動法人ハンズオン埼玉
〒336-0031　埼玉県さいたま市南区鹿手袋 7-3-2　ヘルシーカフェのら気付
TEL 048-792-0897　FAX 048-792-0962
http://www.hands-on-s.org　office@hands-on-s.org

発売：ころから
〒115-0045　東京都北区赤羽 1-19-7-603
TEL 03-5939-7950 FAX 03-5939-7951　http://korocolor.com

ISBN 978-4-907239-56-5